S0-BLP-795

Qui se cache dans les arbres?

Barbara Taylor

LES ÉDITIONS POP Jeunesse

Les mots en **gras** sont expliqués dans le glossaire de la page 22.

Couverture : un python vert se cache parmi les feuilles de la forêt tropicale où il demeure.

Éditrice : Angela Royston
Graphiste : Matthew Kelly
Recherchiste photo : Maria Joannou
Traductrice : Catherine Girard-Audet

Édition originale © QED Publishing, 2011
Pour la présente édition © Les éditions Pop Jeunesse, 2011

Tous droits réservés. Aucune partie de cette publication ne peut être reproduite, stockée sur un serveur ou transmise par quelque moyen que ce soit, électronique ou mécanique, y compris la photocopie, l'enregistrement ou autres, sans la permission préalable de l'éditeur.

ISBN 978-2-89690-165-4

Imprimé en Chine

Crédits photos :
(h=haut, b=bas, d=droite, g=gauche, C1=couverture, C4=4e de couverture)
Corbis Ocean Collection 8-9, Staffan Widstrand 9h, Tom Brakefield 12; **FLPA** Thomas Marent/Minden Pictures 5b, 14, Silvestris Fotoservice 16, Konrad Wothe/Minden Pictures 19b, G E Hyde 20; **Nature Picture Library** Tim Laman 1, 4, Premaphotos 11h, Phil Savoie 13b; **Photolibrary** Animals Animals/Nigel JH. Smith 10, Juniors Bildarchiv 11b, Bruno Cavignaux 15b, Imagebroker. net/GTW GTW 17, Animals Animals/Marian Bacon 21h; **Photoshot** NHPA/ Anthony Bannister 5d, NHPA/Cortez Austin 6, NHPA/Daniel Heuclin 7h, NHPA/ A.N.T. Photo Library 13h, 21b, NHPA/Stephen Dalton 15h, NHPA/Daniel Heuclin 18-19; **Shutterstock** worldswildlifewonders C1, arnausd weiser C4, Szefei 2-3, Clearviewstock 7b, szefei 22-23, 24.

Table des matières

Cache-cache dans les arbres..4

Chasser dans les arbres 6

Félins de la jungle 8

À l'abri des chasseurs 10

Bébés animaux 12

Déguisements ingénieux 14

Changement de couleur 16

Brindilles vivantes 18

Pièges et venin 20

Glossaire.. 22

Index 23

Message aux parents et aux professeurs 24

Cache-cache dans les arbres

Les animaux qui vivent dans les **forêts tropicales** chaudes et humides sont très doués pour jouer à cache-cache. En effet, ils se dissimulent en se fondant parmi les arbres et les plantes qui les entourent. Cette technique est appelée « **camouflage** ».

Certains animaux sont verts pour se fondre aux feuilles des arbres. Le plumage du pigeon vert de Madagascar lui permet de se cacher des prédateurs, en se tenant immobile.

▶ Les pigeons verts se camouflent dans les arbres lorsqu'ils se nourrissent des fruits qui y poussent.

Le bois et les feuilles mortes

Plusieurs animaux ressemblent à des brindilles, à de l'écorce ou à des épines. Par exemple, lorsque le gecko à queue feuillue se repose sur le tronc des arbres pendant la journée, il devient pratiquement invisible aux yeux des prédateurs!

Des amas de feuilles sèches et mortes recouvrent le sol des forêts tropicales. Certains animaux tels que la vipère du Gabon ont donc le corps parsemé de motifs qui ressemblent à des feuilles mortes pour mieux se fondre à leur environnement.

Une peau ornée de motifs.

CACHE CACHE

Une vipère du Gabon se cache parmi ces feuilles mortes. Arrives-tu à déterminer où elle se trouve?

▲ Les motifs de ce gecko s'apparentent au tronc d'arbre.

5

Chasser dans les arbres

Les forêts tropicales débordent de nourriture alléchante pour les chasseurs affamés tels que les oiseaux féroces qui survolent le ciel ou les serpents qui s'enroulent autour des arbres pour attraper leurs victimes.

L'aigle harpie est l'aigle le plus imposant et le plus fort du monde. Son plumage gris tacheté lui sert de camouflage lorsqu'il chasse les singes et les autres animaux qui se cachent en haut des arbres. Il les agrippe alors avec ses **serres**, qui sont faites de puissantes griffes.

Un bec puissant et courbé pour arracher la chair des os.

Des serres pointues et courbées.

▲ Cette aigle harpie retourne dans son nid situé dans les arbres.

Les prédateurs et leurs proies

Les animaux qui en chassent d'autres pour se nourrir s'appellent des **prédateurs**, tandis que les animaux qui se font pourchasser s'appellent des **proies**. Les serpents tels que les pythons verts s'enroulent autour des branches et attendent patiemment l'arrivée de leur proie avant de passer à l'attaque.

Puisque la rainette verte se nourrit d'**insectes**, elle est une prédatrice. Mais elle est aussi une proie pour les serpents et les lézards. Lorsqu'elle dort au soleil, la couleur verte de sa peau la camoufle donc dans les feuilles et la protège des oiseaux et des reptiles qui tentent de l'attraper.

▲ Un python vert se suspend à une branche.

De grands yeux pour voir dans l'obscurité.

Une grande bouche pour attraper des insectes.

Des orteils longs et minces pour mieux s'agripper aux branches.

LANGAGE ANIMAL

- Les serpents arboricoles ont des arêtes sur le ventre pour les aider à s'agripper aux branches.

- Les grenouilles arboricoles ont de grandes **ventouses** adhérentes sous leurs orteils.

7

Félins de la jungle

Le pelage tacheté du jaguar l'aide à se camoufler parmi les ombres et les rayons de lumière qui percent les arbres. Les rayures du tigre lui servent aussi de camouflage.

Le jaguar chasse les cochons sauvages, les cerfs et d'autres animaux. Comme ce grand félin ne peut pas courir aussi vite que ses proies, son camouflage lui permet de s'approcher de ses victimes sans se faire voir et de les prendre par surprise.

La panthère noire

Il arrive parfois qu'un léopard naisse avec un pelage noir. On l'appelle alors une panthère noire, et il est très difficile de la repérer dans l'obscurité et parmi les ombres de la forêt.

Des oreilles qui peuvent entendre de très faibles sons.

Des taches noires qui servent de camouflage.

▶ Ce jaguar s'installe sur une branche près du sol. Il est prêt à bondir sur sa proie!

▶ Le tigre est le plus grand félin du monde.

FAITS INTÉRESSANTS

- Les jaguars et les tigres ne cohabitent jamais dans la nature puisque les tigres viennent d'Asie et que les jaguars vivent en Amérique Centrale et en Amérique du Sud.

- Le tigre aiguise et nettoie ses griffes en les frottant contre les arbres.

- Chaque jaguar possède un pelage tacheté unique et différent des autres.

À l'abri des chasseurs

Nombreux sont les animaux qui se font pourchasser par les prédateurs de la jungle. C'est le cas des lézards et des singes qui vivent dans les arbres et des cochons et des agoutis qui se tiennent plutôt sur la terre ferme.

Le camouflage aide les animaux traqués à survivre. La fourrure brune et tachetée de l'agouti lui permet de se fondre parmi les ombres des arbres. Cette créature timide échappe aussi aux prédateurs en se cachant dans son **terrier**.

Des dents puissantes et pointues.

Cinq doigts pour tenir la nourriture.

▲ Cet agouti se cache parmi les rayons de lumières et les jeux d'ombres sur le sol pour pouvoir manger en paix.

Des trucs ingénieux

Le lézard volant fuit ses prédateurs en volant parmi les arbres. Pour ce faire, il déploie ses deux ailes constituées de peau très mince. Son corps est de la même couleur que le tronc des arbres, ce qui lui permet de disparaître dans le paysage lorsqu'il replie ses ailes !

▲ Le lézard volant est parfois surnommé le dragon volant.

De grandes oreilles pour entendre les prédateurs.

De grands yeux pour voir dans les endroits ombragés.

L'okapi échappe parfois à ses prédateurs en restant immobile ! Les rayures de l'okapi compliquent la tâche de ses prédateurs qui éprouvent alors de la difficulté à repérer le corps de l'animal.

LANGAGE ANIMAL

- L'agouti est le seul animal capable de fendre une noix du Brésil (à l'exception des perroquets).

- L'okapi peut utiliser sa grande langue pour nettoyer ses yeux.

11

Bébés animaux

Même si les forêts tropicales comptent plusieurs endroits où les bébés animaux et les poussins peuvent se dissimuler, ceux-ci sont toujours en danger en raison de leur petite taille et de leur fragilité. Comme ils ne peuvent se battre contre les prédateurs ou prendre la fuite rapidement, ils doivent se cacher pour éviter de se faire capturer.

Les bébés animaux sont souvent mieux camouflés que leurs parents. Par exemple, le tapir d'âge adulte possède un pelage brun et terne, tandis que celui de sa progéniture est parsemé de taches et de rayures, ce qui la rend pratiquement invisible parmi les rayons de soleil qui se reflètent sur le sol brunâtre de la forêt.

▲ Ce jeune tapir perdra ses taches et ses rayures vers l'âge de 1 an.

▲ Ce jeune casoar à casque rayé se fond parmi les feuilles mortes qui ornent le sol de la forêt.

Des couleurs sobres

Les oiseaux mâles comme les oiseaux de paradis arborent souvent des couleurs vives afin d'attirer les femelles, mais ces dernières ont généralement un plumage plus sobre qui les aide à se cacher lorsqu'elles s'assoient sur leurs œufs.

Les bébés des oiseaux forestiers jouissent eux aussi d'un excellent camouflage. En effet, ils possèdent généralement un plumage sobre ou orné de taches et de rayures comme le petit du casoar à casque.

Une femelle.

Un mâle.

▲ Cet oiseau du paradis mâle se trémousse sur une branche d'arbre pour exposer ses plumes colorées à une femelle.

LANGAGE ANIMAL

- L'oiseau du paradis mâle peut danser pendant des heures.

- Le tapir est un bon nageur. Il plonge souvent dans les rivières pour fuir les jaguars.

Déguisements ingénieux

Comme plusieurs animaux se nourrissent d'insectes dans la forêt tropicale, ceux-ci doivent trouver des façons ingénieuses de se cacher de leurs prédateurs. Certains insectes ont même appris à se déguiser en plantes!

Des piquants ornent les pattes avant pour agripper leurs proies.

Des mâchoires puissantes.

Les pans qui ornent les pattes de la mante fleur ressemblent à des pétales. Cet insecte farouche s'installe sur les fleurs et attend patiemment qu'un autre insecte vole près de lui pour l'agripper d'un seul coup.

▲ Cette mante fleur se tient la tête à l'envers pour ressembler le plus possible à une partie de la fleur.

Feuilles mortes

Les feuilles mortes constituent un déguisement ingénieux puisqu'elles ne représentent pas une source de nourriture chez les animaux. Lorsqu'un papillon-feuille ferme ses ailes, il ressemble comme deux gouttes d'eau à une feuille morte !

La carapace bosselée de la tortue matamata ressemble elle aussi à un amas de feuilles mortes, voire à du bois mort ! Or, ces résidus ne sont pas rares dans la région amazonienne où elle vit. Pour se nourrir, la tortue se cache donc au fond des rivières vaseuses et ouvre grand la bouche pour aspirer les poissons qui nagent près d'elle.

CACHE-CACHE

La queue des ailes arrière du papillon-feuille ressemble beaucoup à un pétiole. Peux-tu trouver le papillon-feuille qui se cache parmi ces feuilles mortes ?

Un cou long et large.

Une carapace solide et bosselée.

De tout petits yeux.

▲ Cette tortue matamata attend patiemment au fond d'une rivière de la forêt tropicale.

Changement de couleur

Certains animaux de la forêt tropicale changent de couleur pour mieux se camoufler. C'est le cas du caméléon, qui peut changer de couleur lorsqu'il se déplace d'un lieu à l'autre. Le paresseux a, quant à lui, bien de la difficulté à bouger son corps!

Le paresseux possède une fourrure cendrée qui l'aide à se dissimuler lorsqu'il se suspend aux branches des arbres. Lors de la **saison des pluies**, de petites plantes poussent sur ses poils humides comme les feuilles vertes qui font leur apparition tout autour de lui!

La fourrure de ce paresseux pousse sur son ventre et s'étend vers son dos de façon à faire tomber la pluie de son corps lorsqu'il se tient à l'envers.

16

Le camouflage du caméléon

Le caméléon peut changer de couleur assez rapidement. En effet, sa peau change de couleur en fonction de la luminosité et de la température ambiante.

Certains caméléons changent également de couleur pour se fondre à leur environnement. Des taches de couleurs se déplacent alors sur leur peau, ou bien s'élargissent ou rétrécissent en fonction de l'endroit où ils se trouvent.

◄ Ce caméléon vient tout juste de capturer un insecte avec sa grande langue poisseuse.

Une grande langue poisseuse.

LANGAGE ANIMAL

- Un paresseux passe 20 heures par jour à se reposer dans les arbres.

- La plupart des caméléons vivent exclusivement sur l'île de Madagascar, qui est située en Afrique.

17

Brindilles vivantes

Lorsque les insectes brindilles sont immobiles, ils ressemblent vraiment aux branches ou aux feuilles des plantes de la forêt tropicale. *Les insectes brindilles bougent aussi leurs pattes pour imiter la façon dont les plantes vacillent au vent.*

▶ **Cet insecte brindille ressemble beaucoup aux feuilles qui l'entourent!**

Les insectes brindilles géants fréquentent les forêts tropicales de l'Indonésie, en Asie du Sud-Est. Bien qu'il s'agisse des insectes les plus longs du monde, leur camouflage ingénieux leur permet de se fondre dans la forêt.

Toute une comédie!

Les petits insectes brindilles se suspendent aux petites branches des plantes. Ainsi, ils peuvent se laisser tomber sur le sol comme des feuilles mortes en cas de danger.

Les insectes brindilles peuvent également casser leurs pattes pour échapper à un prédateur. Heureusement pour eux, leurs membres repoussent peu après être tombés.

▶ Les insectes brindilles sont difficiles à repérer parmi les petites branches des plantes qu'ils fréquentent.

FAITS INTÉRESSANTS

- Les insectes brindilles positionnent leurs pattes de la même façon que les branches et les brindilles qui les entourent.

- Un insecte brindille géant peut être aussi long qu'un de tes bras!

19

Pièges et venin

Certains animaux de la forêt tropicale n'ont pas besoin de camouflage puisqu'ils disposent d'autres moyens de défense. Certains d'entre eux repoussent les ennemis en se faisant passer pour des créatures énormes et dangereuses, tandis que d'autres contiennent du **venin** redoutable.

Les papillons caligos n'ont pas besoin de se cacher puisque les empreintes colorées qui ornent leurs ailes ressemblent aux yeux et au plumage d'un hibou. Comme les oiseaux ont peur des hiboux ils n'osent pas s'approcher des caligos!

Faux yeux.

Des motifs qui ressemblent à des plumes.

▲ Les caligos fréquentent les forêts tropicales de l'Inde et de l'Asie de l'Est.

Attention : poison !

Les petits dendrobates n'ont pas peur de se faire voir par les prédateurs puisque leur couleur vive envoie le message suivant : « Ne me mangez pas ! Je suis empoisonné ! »

Les chenilles des papillons à ailes d'oiseau absorbent le venin des plantes qu'elles mangent, et leurs couleurs vive indiquent également aux oiseaux de ne pas les engloutir.

▼ Non seulement la peau du dendrobate produit du venin, mais cette grenouille absorbe également celui des insectes venimeux et des autres aliments qu'elle ingère.

LANGAGE ANIMAL

- Seulement quelques gouttes du venin d'un dendrobate suffisent pour tuer un cheval.

- L'envergure d'aile des caligos peut atteindre 16 cm, ce qui correspond à la taille d'un petit oiseau !

◁ .... Une peau humide.

◀ La chenille du papillon à ailes d'oiseau a le dos parsemé d'épines colorées qui sont remplies de venin !

De longues pattes arrière pour bondir.

21

Glossaire

Camouflage: couleurs, motifs et traits physiques qui aident un animal à se cacher en se fondant à son environnement.

Déguisement: lorsqu'un animal se fait passer pour un autre animal ou pour une plante.

Forêt tropicale: forêt qui pousse dans des régions situées près de l'équateur où il fait chaud et humide tout au long de l'année. On l'appelle parfois la jungle.

Insecte: petit animal qui possède six pattes et dont le corps est divisé en trois sections.

Prédateur: animal qui chasse ou tue d'autres animaux pour se nourrir.

Proie: animal pourchassé et tué par un prédateur.

Saison des pluies: période de l'année où il pleut beaucoup tous les jours.

Serre: griffe courbée qui orne les pattes d'un rapace. Les serres sont longues, épaisses et extrêmement tranchantes.

Terrier: long tunnel creusé dans le sol par des animaux qui leur servent de demeure.

Venin: substance chimique qui tue ou blesse les êtres vivants.

Ventouses: coussinets de forme ronde que l'on retrouve sur le corps de certains animaux et qui peuvent adhérer facilement à des objets comme des arbres.

Les as-tu trouvés?

La tête de la vipère du Gabon de la page 5 se cache en bas de l'image, tandis que sa queue se trouve en haut. Le papillon-feuille de la page 15 se trouve en plein milieu de l'image. Tu peux t'aider en cherchant ses antennes qui sont situées à droite.

Index

Agouti 10, 11
Aigle harpie 6

Bébés animaux 12, 13

Caligos 20, 21
Caméléon 16, 17
Casoar à casque 13

Chenille du papillon à ailes
d'oiseaux 21

Dendrobate 21

Gecko 5
Grenouilles arbricoles 7

Insecte brindille 18-19

Jaguar 8-9, 13

Léopard 8
Lézards 7, 10, 11

Mante fleur 14

Okapi 11
Oiseau de paradis 13
Oiseaux 6, 7, 13, 20, 21

Panthère noire 8
Papillon-feuille 15
Paresseux 16, 17
Pigeon vert 4
Python vert 7

Rainette verte 7

Serpents 6, 7

Tapir 12, 13
Tigre 8, 9
Tortue matamata 15

Vipère du gabon 5

Message aux parents et aux professeurs

Lorsque vous parcourez ce livre avec les enfants, posez-leur des questions pour les encourager à observer les images dans les détails.

À propos des arbres

- Les arbres sont de grandes plantes qui possèdent une tige en bois appelée un tronc ainsi que qu'une couronne de branches qui s'élèvent dans les airs.

- Ses racines lui permettent de supporter l'arbre ainsi que le sol autour de lui. Expliquez aux enfants que les racines permettent de contenir le sol, et que lorsque les forêts sont détruites, le sol se fait détremper par la pluie.

- L'écorce empêche les arbres de s'assécher tout en les protégeant. Demandez aux enfants de trouver différents types d'écorce autour d'eux (rugueuse, lisse, doublée, pelée) et de tracer des motifs en posant une feuille de papier sur l'écorce et en frottant très fort avec un crayon.

- Les feuilles fabriquent de la nourriture pour les arbres et les nervures des feuilles transportent ces aliments vers les autres parties de l'arbre. Proposez à l'enfant de peindre des feuilles d'arbres et de les presser contre une feuille de papier pour tracer leurs empreintes!

- Les arbres des forêts tropicales mesurent généralement entre 30 à 50 m de hauteur et vivent très longtemps. Bien que leurs branches soient généralement ornées de feuilles vertes, ils en perdent également quelques-unes tout au long de l'année. C'est pour cette raison que le sol de la forêt est couvert d'un tapis de feuilles mortes.

- Demandez aux enfants de faire un collage pour illustrer une immense forêt tropicale en utilisant les différentes techniques expliquées ci-dessus.

Forêts tropicales

- Il tombe annuellement 250 cm de pluie dans la forêt tropicale, et les températures varient entre 23 °C et 30 °C tout au long de l'année.

- Essayez d'organiser une sortie au zoo ou dans une biosphère qui compte une section sur la forêt tropicale pour que les enfants puissent avoir une meilleure idée de la chaleur et de l'humidité qui y règnent.

Les déplacements

- Bien que la technique de camouflage soit plus efficace lorsque les animaux sont immobiles, ces derniers sont parfois forcés de se déplacer pour trouver de la nourriture ou pour fuir des prédateurs!

- Les animaux de la forêt tropicale peuvent compter sur des orteils adhérents, de longues griffes et des écailles résistantes pour rester en équilibre et s'agripper aux surfaces mouillées et glissantes.

Chasseurs et animaux pourchassés

-Les insectes de la forêt tropicale sont très bien camouflés puisqu'ils représentent une source de nourriture alléchante aux yeux de leurs prédateurs.

-On retrouve tellement de nourriture dans la forêt tropicale que certains animaux ont tendance à atteindre une taille gigantesque! Expliquez aux enfants qu'un anaconda peut atteindre une taille beaucoup plus grande que la leur!